UNIT 1

1.1 Whole number arithmetic review

Page 1 **HWK 1M**

1. (a) $3 \times \boxed{100} + 6$ (b) $5 \times \boxed{1000} + 3$ (c) $4 \times \boxed{10} + \boxed{9}$

    (d) $6 \times \boxed{10} + 5$ (e) $2 \times \boxed{100} + \boxed{8}$ (f) $9 \times \boxed{1000} + 4 \times \boxed{10}$

2. $4000 + 72 - 200 - 6$ **3.** (a) 6 numbers   (b) 732   (c) 2664   (d) 36

4. (a)

309	217	496	718

	526	713	1214	

| | | 1239 | 1927 | | |

| | | 3166 | | |

(b)

2318	643	82	728	4315

| | 2961 | 725 | 810 | 5043 | |

| | | 3686 | 1535 | 5853 | | |

| | | 5221 | 7388 | | |

| | | 12 609 | | |

5. Raina more money by £150

6. eight million, one hundred and four thousand, six hundred and fifty-three

7. $a = 10\,000$, $b = 1000$, $c = 10$, $d = 1$

Page 2 **HWK 2M**

¹2	4	²6		³2	⁴7
2		3		⁵5	9
⁶8	4	7	⁷3	6	
		⁸2	9		⁹2
¹⁰6	¹¹8		¹²6	3	4
¹³5	7	4	0		3

Page 2 **HWK 3M**

1. (a)

×	8	3	6	9	2
4	32	12	24	36	8
6	48	18	36	54	12
7	56	21	42	63	14
5	40	15	30	45	10
9	72	27	54	81	18

(b)

×	6	7	4	5	8
9	54	63	36	45	72
3	18	21	12	15	24
8	48	56	32	40	64
4	24	28	16	20	32
7	42	49	28	35	56

2. P gives the larger answer by 3.

3.

×	30	8	12	11	9	21	6
14	420	112	168	154	126	294	84
4	120	32	48	44	36	84	24
9	270	72	108	99	81	189	54
15	450	120	180	165	135	315	90
11	330	88	132	121	99	231	66
7	210	56	84	77	63	147	42
13	390	104	156	143	117	273	78

Page 3   **HWK 4M**

1. 638   **2.** 457   **3.** 491   **4.** 795   **5.** $8\overline{)2936}$ by 5

6. £763   **7.** 17   **8.** Yes by 15   **9.** 685

10. (a) 6597   (b) 89 126   (c) 356 849   **11.** 2817 ÷ 7 by 1

12. 45 and 54   **13.** 589   **14.** 8, 4 and 9

Page 4   **HWK 5M**

1. Should round up, so 7 taxis needed.   **2.** 4

3. 8   **4.** 51   **5.** 28   **6.** 13

7. (a) 18   (b) 30   **8.** 71   **9.** 33   **10.** 2166

11. (a) 5   (b) 3   (c) $8\overline{)5150}$ or $9\overline{)5793}$

12. (a)

	4	3	8	5
9	36	27	72	45
6	24	18	48	30
2	8	6	16	10
7	28	21	56	35

(b)

	3	7	2	5
6	18	42	12	30
4	12	28	8	20
8	24	56	16	40
9	27	63	18	45

(c)

	2	6	3	9
5	10	30	15	45
8	16	48	24	72
4	8	24	12	36
7	14	42	21	63

(d)

	7	9	5	3
2	14	18	10	6
4	28	36	20	12
8	56	72	40	24
6	42	54	30	18

Page 5   **HWK 6M**

1. 8242   **2.** 9761   **3.** 28 404   **4.** 33 028   **5.** 32 264   **6.** 52 800

7. 43 134   **8.** 212 872   **9.** 276   **10.** Carla by £136

11. (a) £979   (b) £2611   **12.** 8784   **13.** 9766   **14.** approx. 3 363 840 000

Page 6 **HWK 7M**

1. 147 **2.** 42 **3.** 53 **4.** 25 **5.** 16 **6.** 51
7. 36 **8.** 63 **9.** 17 **10.** 64 **11.** 36 **12.** 89

Page 6 **HWK 8M**

1. 17 r 13 **2.** 14 r 24 **3.** 38 r 17 **4.** 17 r 12 **5.** 17 **6.** 14, 10 left over
7. 14 **8.** (a) 36 (b) 27 (c) 67
9. 19, 6 extra **10.** 14, 24p left over **11.** **12.** £822

	13	35	32
23	299	805	736
26	338	910	832
19	247	665	608

1.2 Decimals

Page 7 **HWK 1M**

1. (a) 4.5 kg (b) 0.5 kg **2.** $\frac{4}{10}, \frac{2}{100}, \frac{7}{1000}$ **3.** 0.09
4. 0.17 **5.** 0.3 kg
6. (a) 0.28, 0.33, 0.48 (b) 0.19, 0.2, 0.34 (c) 0.03, 0.1, 0.12
  (d) 0.903, 0.92, 0.925 (e) 0.62, 0.68, 0.7, 0.73 (f) 9.2, 9.31, 9.36, 9.399
  (g) 0.08, 0.24, 0.307, 0.4 (h) 0.4, 0.501, 0.52, 0.53
7. (a) 0.2 (b) 0.2 (c) 0.006 (d) 0.3 **8.** 0.018
9. 0.003 **10.** (a) Tom (b) Tom, Carl, Dan, Matt, Alex, Sunil
11. (a) 7.288 (b) 16.517 **12.** $\frac{3}{100}$, 0.032, 0.04, $\frac{3}{10}$, 0.309, $\frac{39}{100}$, 0.4

Page 8 **HWK 2M**

1. (a) 1.45 (b) 10.13 (c) 1.73 (d) 8.18
2. (a)
$$\begin{array}{r} 3.\boxed{2}\,6 \\ +\boxed{2}.9\,\boxed{3} \\ \hline 6.1\,9 \end{array}$$
(b)
$$\begin{array}{r} \boxed{5}.7\,3\,\boxed{8} \\ +4.1\,\boxed{7}\,4 \\ \hline 9.\boxed{9}\,1\,2 \end{array}$$
(c)
$$\begin{array}{r} 6.\boxed{8}\,2 \\ -4.1\,\boxed{7} \\ \hline \boxed{2}.6\,5 \end{array}$$
3. (a) No (b) £8.81 **4.** Olivia is correct (answer = 4.15)
5. (a) 0.043 (b) 5.741 (c) 9.738 (d) 14.246

4

6.

	1.63	2.9	0.74	5.6
3.9	5.53	6.8	4.64	9.5
0.25	1.88	3.15	0.99	5.85
3.18	4.81	6.08	3.92	8.78
4.2	5.83	7.1	4.94	9.8

7. £1.95   **8.** 3.6

Page 9   HWK 3M

1. £11.04   **2.** (a) 0.6   (b) 3   (c) 1.5   (d) 0.9

3. 11 pounds   **4.** £4.92   **5.** £1.98

6. (a) 2.3, 13.8, 1.38, 5.52   (b) 0.9, 7.2, 720, 120   (c) 0.07, 0.28, 2.8, 1.4   **7.** £573

8. 21 bottles   **9.** 312.50 euros   **10.** 92.7 cm^3 **11.** 2.4, 2.5, 2.6   **12.** 144.3

Page 10   HWK 4M/4E

1. (a) 0.24   (b) 0.056   (c) 0.54   (d) 7.2   (e) 0.35   (f) 0.006

(g) 0.64   (h) 16.8   (i) 1.08   (j) 0.0028   (k) 0.16   (l) 0.0039

2. (a) 0.21   (b) 0.2   (c) 7   (d) 0.07   (e) 0.4   (f) 90

3. £2.52   **4.** £7.42   **5.** 24 m   **6.** (a) 0.09   (b) 0.49   (c) 0.28

(d) 0.008   **7.** 0.7 is less than 1, etc.   **8.** 4.0843

9. B by 0.334 m^3

Page 11   HWK 5M

1. (a) 5.19   (b) 12.8   (c) 4.28   (d) 32.3   (e) 21.64   (f) 8.89

(g) 15.1   (h) 6.32   (i) 417.9   **2.** £68.25   **3.** £28.60   **4.** 6.4 kg

5. 2.14 litres   **6.** B   **7.** 51.6 kg   **8.** A   **9.** £16.25   **10.** Q by 0.3

11. (a) 2.36   (b) 0.236   **12.** (a) 0.018   (b) 1.8

Page 12   HWK 5E

1. (a) $\dfrac{80}{2} = 40$ (b) $\dfrac{3220}{4} = 805$ (c) $\dfrac{63}{5} = 12.6$ (d) $\dfrac{800}{25} = 32$

2. 160   **3.** 2800   **4.** 0.06   **5.** 15   **6.** 60   **7.** 1172   **8.** 75   **9.** 32

10. (a) 0.01   (b) 0.01   (c) 20   **11.** 600   **12.** (a) 256   (b) 326   (c) 854

13. Ratio of each pair of numbers is the same   **14.** 33

1.3 Using a calculator

Page 13   HWK 1M

1. 2   **2.** 17   **3.** 31   **4.** 19   **5.** 54   **6.** 41

7. 11   **8.** 16   **9.** 12   **10.** 12   **11.** 1   **12.** 72

13. 19   **14.** 73   **15.** 4   **16.** (a) $5 \times \boxed{4} + 2 = 22$ (b) $\boxed{3} \times 7 - 6 = 15$

(c) $6 + 10 \div \boxed{5} = 8$ (d) $\boxed{5} + 3 \times 8 = 29$ (e) $(8 - \boxed{4}) \times 7 = 28$ (f) $15 \div (1 + \boxed{4}) = 3$

(g) $30 \div \boxed{6} + 4 = 9$ (h) $(\boxed{3} + 8) \times 6 = 66$ (i) $16 + 18 \div \boxed{2} = 25$

17. (a) 0.26   (b) 2.8   (c) 6.84   (d) 1.7   (e) 1.45   (f) 0.64

Page 13   HWK 2M

1. 42   **2.** 14   **3.** 12   **4.** 5   **5.** 21   **6.** 0   **7.** 15   **8.** 31

9. 57   **10.** 48   **11.** 8   **12.** 70   **13.** 4   **14.** 81   **15.** 17   **16.** 30

17. 60   **18.** 8   **19.** 188   **20.** 41   **21.** 123   **22.** 3   **23.** 2   **24.** 154

25. 5   **26.** 3   **27.** 2   **28.** 4   **29.** 5   **30.** 1   **31.** 2.88   **32.** 9

33. 0.18   **34.** 23.8   **35.** 0.04   **36.** 21.33

Page 14   HWK 3M

1. 64   **2.** 2   **3.** 56   **4.** 150   **5.** 27   **6.** 108   **7.** 4

8. 81   **9.** 72   **10.** 40   **11.** 21   **12.** 110   **13.** 15   **14.** 12

15. 5   **16.** 0.07   **17.** 4.28   **18.** 0.45   **19.** 0.49   **20.** 0.024   **21.** 0.064

22. 0.497   **23.** 0.32   **24.** 0.445

Page 14   HWK 4M

1. No. $(18 + 12) \div 2 = 15$ **2.** (a) $(3 + 7) \times 4 \div 2 = 20$ (b) $(28 - 12) - (10 - 2)$

(c) $(5 + 9) \div (20 - 13) = 2$ (d) $4 + (12 \times 2) + 3 = 31$

3. $(4 + 3) \times 6 = 42$ **4.** $5 \times (4 - 1) = 15$ **5.** $7 + (5 \times 6) = 37$

6. $56 \div (10 - 2) = 7$ **7.** $(5 \times 4) + (2 \times 6) = 42$ **8.** $8 \times (7 - 2) - 9 = 31$

9. $(13 + 12) \div 5 = 5$ **10.** $(18 + 18 - 8) \div 4 = 7$ **11.** $4 \times (6 + 9 - 5) = 40$

12. $42 - (6 \times 6) = 6$ **13.** $15 + (6 \times 3) + 7 = 40$ **14.** $(24 - 9) \div (27 \div 9) = 5$

15. $(41 + 22) \div (3 + 6) = 7$ **16.** $(8 + 10) \times 0 + 6 = 6$ **17.** $(58 - 4) \div (48 \div 8) = 9$

Page 15   HWK 4E

1. $(8 - 6) \times 3 = 6$ **2.** $(3 + 7) \times 6 = 60$ **3.** $(9 - 3) \times 5 = 30$

4. $32 \div (10 - 2) = 4$ **5.** $8 + 9 \times 4 = 44$ **6.** $10 \times (3 + 7) = 100$

7. $48 \div (12 - 4) = 6$ **8.** $64 \div (6 + 2) = 8$ **9.** $9 \times (5 + 3) = 72$

10. $28 \div (21 \div 3) = 4$ **11.** $(20 - 2) \div (5 + 1) = 3$ **12.** $(5 + 2) \times (9 - 3) = 42$

13. $(6 - 1)^2 + 5 = 30$ or $(2 - 1) \times 6 \times 5$ **14.** $(7 - 4)^3 \times 2 = 54$

Page 15   HWK 5M

1. 0.739   **2.** 7.73   **3.** 10.22   **4.** 2.16

5. 385.2   **6.** 11.14   **7.** £94.43   **8.** £13.13

9. Yes   **10.** $2 + \dfrac{1.5}{0.25} = 8, \quad \dfrac{2 + 1.5}{0.25} = 14$ **11.** 11.6

12. 15.1   **13.** 4.2   **14.** 114   **15.** 10.2

16. 6.2   **17.** 2.66   **18.** 12.34   **19.** 1.4

20. e.g. $\dfrac{12 \times 5.25 + 5 \times 1.95 + 5 \times 2.45}{17}$ (= £5)

21. £1960.20   **22.** £852.15   **23.** 6

Page 17   HWK 6M

1:7	4	2:8	6		3:3	1
1		1		4:1	4	
5:6	2	9	6:8		2	
		7:4	7	8:3	9	9:4
10:8		5		6		8
11:3	12:6		13:5	1	3	9
14:6	1	8	2			6

1.4 Rules of algebra

Page 18   HWK 1M

1. $2m + 6$ **2.** $5p - 3$ **3.** $9w + 15$ **4.** $\dfrac{B}{4}$ **5.** $7A - 2$

6. $\dfrac{Y}{10} + 3$ **7.** $m + n + p + 3$ **8.** $n + 16$ **9.** $b + c$ **10.** $38 - x$

11. $m - n$ **12.** (a) $4y + 2w$ (b) $3m + 2n + 8$

13. Pupil choice, e.g. sides $x, 3x, y$ or $2x, 2x, y$ **14.** $8m + 4n$ is correct but cannot add unlike terms

Page 19   HWK 2M

1. $2m + p$ **2.** $2a + 7 + b$ **3.** $4w - y + 7p$ **4.** $3f + 2g + 6h - 9$

5. $4a - 8b - 3c$ **6.** $2w$ **7.** $89 + x - m$ **8.** $y - 5$ **9.** $3n + 6$

10. (a) $85x + 65y$ (b) $85m + 195$ (c) $170n + 65w$ **11.** (a) $2x + 2y$ (b) $200x + 200y$

12. $4w - 5$ **13.** $2n - w$ **14.** £$52n$ **15.** $6(x + 8)$ or $6x + 48$

Page 20 HWK 3M

1. $8m + 9n$ **2.** $8p + 16q$ **3.** $4a + 9b$ **4.** $2x + 3y$ **5.** $22f + 7g$

6. $8m + 3$ **7.** $7b + 2c$ **8.** $7m + 1$ **9.** $27 + y$ **10.** $7x + 5y$

11. $2a + 30$ **12.** $4 + 7n$ **13.** $9w + 15$ **14.** $2p + 19$ **15.** $25 + 12m$

16. $6a + 2b + 9$ **17.** $n + 4p + 3$ **18.** $6x + 5y + 6$

19. (a) $8n + 29$ (b) isosceles triangle (c) $12n + 29$

20. $3a, 5b, \boxed{3a + 5b}, 7b, \boxed{3a + 12b}, 2a, \boxed{a + 12b}, 9a, \boxed{10a + 12b}$

21. $7m, 9, \boxed{7m + 9}, 16, \boxed{7m + 25}, 5m, \boxed{12m + 25}, 10m, \boxed{2m + 25}, 25, \boxed{2m}$

22. $3x, 6y, \boxed{3x + 6y}, 2x, \boxed{x + 6y}, 8x, \boxed{9x + 6y}, 4y, \boxed{9x + 2y}, 9x, \boxed{2y}$

23. $7a + 5b + 8$ because a has not been subtracted from $7a$

24. $3m - 4n$ **25.** $-12x - 5y$

Page 21 HWK 4M

1. $3 \times n, n + n + n, 4n - n, 2n + n, n \times 3$ **2.** (a) $4n + n = 5 \times n, n + n = 7n - 5n$

3. (a) $3a + 3b - a, 2a + 2b + b, 6a + b - 4a + 2b, a + 4b - b + a$ (b) should all be equal to 22

4. true **5.** true **6.** true **7.** true **8.** false **9.** false

10. true **11.** false **12.** false **13.** true **14.** false **15.** false

16. false **17.** true **18.** false

19. One value ($n = 0$) **20.** Correct because $n \times n^2 = n \times n \times n = n^3$

Page 22 HWK 5M

1. $18mn$ **2.** $36pq$ **3.** $25wy$ **4.** $8ab$ **5.** $42mnp$ **6.** $40pq$

7. $90mn$ **8.** $45ac$ **9.** $16n^2$ **10.** (a) $3ab$ (b) $8xy + 2pq$ (c) $w + 3p + pw$

(d) $2mn + 2n + 2$ (e) $6a + ab$ (f) $2y + 5xy$ (g) $6c + 3 + 3cd$ (h) $7ab + 6a + 3$

11. $50ab + 6a^2$ **12.** $mn + pq$ **13.** $ab + 6b$ **14.** $72mn - 4n^2$ **15.** $37pq$

Page 23 HWK 6M

1. (a) $A = 36$ (b) $A = 92$ (c) $A = 228$ **2.** $p = 142$

3. $m = 21$ **4.** $b = 11$ **5.** $a = 7$ **6.** $w = 13$ **7.** $f = 7$

8. $y = 45$ **9.** $a = 36$ **10.** $k = 21$ **11.** $p = 63$ **12.** $y = 165$

13. $m = 96$ **14.** $a = 144$ **15.** $d = 1$ **16.** $v = 104$ **17.** $y = 33$

18. $m = 372$ **19.** $c = 3$ **20.** $y = 1440$ **21.** $m = 15$ **22.** $a = 5$

23. $p = 76$ **24.** (a) $A = 53$ (b) $A = 182$ (c) $A = 1.55$ **25.** $t = 4$

Page 25 HWK 7M

1. She has not multiplied the 3 by 4

2. $7n + 14$ **3.** $5n - 15$ **4.** $6x - 30$ **5.** $9a + 9b$

6. $3a - 3b$ **7.** $10x + 35$ **8.** $12x - 16$ **9.** $24x + 16$

10. $28x - 21$ **11.** $4x + 2$ **12.** $30m - 5n$ **13.** $48x - 8y$

14. $27x - 6$ **15.** $16 + 40x$ **16.** $36 + 27n$ **17.** $50 - 30y$

18. $54a - 12b$ **19.** $60 - 24p$ **20.** $48p + 24m - 16$ **21.** $2x - 4y + 12$

22. $20m - 12n - 28q$ **23.** Both correct   **24.** $21x + 24$

Page 25 HWK 8M

1. $n^2 + 3n$ **2.** $ab - ac$ **3.** $mn + 5m$ **4.** $xy - 2x$

5. $cd - 3c$ **6.** $5n - n^2$ **7.** $p^2 + 4p$ **8.** $6a + 15$

9. $20m - 35$ **10.** $4 - 24y$ **11.** $32p + 56$ **12.** $3x^2 + 6x$

13. $5m^2 - 30m$ **14.** $14a^2 - 42a$ **15.** $12y^2 - 20y$ **16.** $18p^2 + 81p$

17. $10x - 5x^2$ **18.** $6m + 24m^2$ **19.** $21a - 28a^2$ **20.** $18xy + 24y^2$

21. $15n^2 - 10np$ **22.** $30mn - 40m^2$

23. (a) $y(n + 24)$ (b) $ny + 24y$ (c) 1080

24. (a) $3n^2 + 2mn - 6n$ (b) $4p - 3p^2 - 2pq$ (c) $20xy + 15x + 40x^2$ (d) $30m^2 - 12mn - 54m$

Page 26 HWK 8E

1. Correct   **2.** $9x + 30$ **3.** $13x + 45$ **4.** $6x + 46$ **5.** $12x + 51$

6. $30x + 46$ **7.** $19x + 17$ **8.** $22x + 2$ **9.** $15x + 33$ **10.** $28x + 45$

11. $19x + 12$ **12.** $27x + 30$ **13.** $16x + 31$ **14.** $33x + 20$ **15.** $36x + 15$

16. $36x + 2$ **17.** $79x + 18$ **18.** $35x + 39$ **19.** $30x + 15$ **20.** B

21. (a) $4(3n + 6) - 2(n + 7)$ (b) $10n + 10$ **22.** $4n + 5$

23. e.g. 4 and $2n + 5$ or 2 and $4n + 10$, etc.

Page 27 HWK 9M

1. $\frown = 12$ **2.** $\triangledown = 45$ **3.** $\frown = 10$ **4.** $\star = 9$

5. $\frown = 9, \triangledown = 9$ **6.** $\frown = 7, \star = 14$ **7.** $\triangledown = 6, \frown = 12$ **8.** $\triangledown = 5, \star = 5$

9. $\star = 3, \frown = 6$ **10.** $\frown = 0, \star = 16$ **11.** $\star = 7, \triangledown = 7$ **12.** $\star = 6, \triangledown = 12$

13. $\star = 10, \frown = 20$ **14.** $\frown = 45, \triangledown = 15$

1.5 Negative numbers

Page 29 ***HWK 1M***

1. (a) -4 (b) -1 (c) -3 (d) -2 (e) -5 (f) -3 (g) -7 (h) -2

2. $5-9,\ -6+2,\ -7+3,\ -2-2$ 3. (a) -3 (b) -3 (c) -4

   (d) -5 (e) -2 (f) -4 4. 4   5. (a) 10   (b) 2   (c) 12

   (d) -5 (e) -6 (f) -1 (g) -2 (h) -9

6. Not correct (Ans $= -4$)   7. pupil choice (*m* and *n* must add up to -6)

8. (a) false   (b) false   (c) true   (d) true   (e) false   (f) true

9.

+	-4	2	-6	-3	1
-2	-6	0	-8	-5	-1
-3	-7	-1	-9	-6	-2
9	5	11	3	6	10
5	1	7	-1	2	6
-7	-11	-5	-13	-10	-6

10. -10

Page 30 ***HWK 2M***

1. (a) -28 (b) -6 (c) -18 (d) -8 (e) 9   (f) -42 (g) -4 (h) 5

2. (a) -4 (b) -5 (c) -5 (d) -36 (e) -40 (f) 5   (g) -24 (h) -24

3. $6, -3, -18, 2, -9, -3, 3, -7, -21$

4. (a) 25   (b) -48 (c) 24   (d) 16   (e) -84 (f) -27

5. $-2, -3, 6, -5, -30, -2, 15, -3, -5$

6. -8 7. -11 8. -13

9.

$\times$	-4	-3	7	-2	-5
-7	28	21	-49	14	35
-8	32	24	-56	16	40
5	-20	-15	35	-10	-25
-6	24	18	-42	12	30
9	-36	-27	63	-18	-45

UNIT 2

2.1 Fractions

Page 32   HWK 1M

1. (a) $\dfrac{7}{10} = \dfrac{\boxed{14}}{20}$ (b) $\dfrac{2}{5} = \dfrac{\boxed{16}}{40}$ (c) $\dfrac{5}{8} = \dfrac{\boxed{15}}{24}$ (d) $\dfrac{1}{7} = \dfrac{\boxed{5}}{35}$ (e) $\dfrac{8}{9} = \dfrac{24}{\boxed{27}}$ (f) $\dfrac{3}{8} = \dfrac{27}{\boxed{72}}$

(g) $\dfrac{5}{6} = \dfrac{\boxed{40}}{48}$ (h) $\dfrac{2}{11} = \dfrac{8}{\boxed{44}}$ (i) $\dfrac{7}{20} = \dfrac{21}{\boxed{60}}$ (j) $\dfrac{9}{100} = \dfrac{36}{\boxed{400}}$ (k) $\dfrac{16}{25} = \dfrac{\boxed{48}}{75}$ (l) $\dfrac{7}{15} = \dfrac{\boxed{35}}{75}$

2. $\dfrac{10}{15}, \dfrac{18}{27}, \dfrac{30}{45}, \dfrac{24}{36}$

3. (a) $\dfrac{7}{12} = \dfrac{\boxed{14}}{24} = \dfrac{21}{\boxed{36}}$ (b) $\dfrac{7}{9} = \dfrac{\boxed{42}}{54} = \dfrac{49}{\boxed{63}}$

(c) $\dfrac{\boxed{1}}{3} = \dfrac{6}{18} = \dfrac{\boxed{5}}{15}$ (d) $\dfrac{3}{24} = \dfrac{\boxed{4}}{32} = \dfrac{\boxed{1}}{8}$

4. $\dfrac{6}{7} = \dfrac{54}{63}$ and $\dfrac{7}{9} = \dfrac{49}{63}$ so $\dfrac{6}{7}$ is greater than $\dfrac{7}{9}$

5. I HAVE FINISHED MY HOMEWORK

Page 33   HWK 2M

1. $\dfrac{63}{70} - \dfrac{30}{70} = \dfrac{33}{70}$ 2. $\dfrac{11}{15}$ 3. $\dfrac{11}{28}$ 4. $\dfrac{5}{12}$ 5. $\dfrac{13}{30}$

6. $\dfrac{41}{63}$ 7. $\dfrac{8}{99}$ 8. $\dfrac{3}{40}$ 9. $\dfrac{28}{60} = \dfrac{7}{15}$ 10. $\dfrac{43}{180}$

11. $\dfrac{77}{80}$ 12. $\dfrac{5}{20} = \dfrac{1}{4}$ 13. $\dfrac{23}{70}$ 14. $\dfrac{11}{30}$ 15. $\dfrac{9}{40}$

16. (a) $\dfrac{2}{5}$ (b) $\dfrac{1}{5}$ (c) $\dfrac{3}{10}$ 17. $\dfrac{29}{45}$ 18. $\dfrac{1}{5}$

Page 34   HWK 3M

1. (a) $2\dfrac{3}{4}$ (b) $2\dfrac{1}{3}$ (c) $1\dfrac{1}{4}$ (d) $1\dfrac{7}{8}$ (e) 5

2. (a) $\dfrac{23}{6}$ (b) $\dfrac{35}{8}$ (c) $\dfrac{17}{5}$ (d) $\dfrac{38}{7}$ (e) $\dfrac{87}{10}$

3. 23 4. $2\dfrac{9}{12}$ 5. (a) $5\dfrac{1}{20}$ (b) $4\dfrac{1}{6}$ (c) $6\dfrac{1}{3}$

(d) $1\dfrac{9}{20}$ (e) $4\dfrac{7}{12}$ (f) $4\dfrac{1}{12}$ (g) $1\dfrac{9}{20}$ (h) $1\dfrac{11}{12}$

6. $\frac{11}{12}$ litre **7.** $1\frac{7}{12}$ km **8.** 90 **9.** 48 litres

Page 35 HWK 4M

1. $\frac{6}{7}$ of 42 **2.** £6 **3.** (a) $\frac{5}{18}$ (b) $\frac{6}{35}$ (c) $\frac{1}{15}$

(d) $\frac{8}{11}$ (e) $\frac{2}{9}$ (f) $\frac{1}{16}$ (g) $\frac{1}{2}$ (h) $\frac{8}{15}$ **4.** 88 cm

5. (a) 2 (b) 5 (c) 5 (d) 48 (e) 7 (f) 54

6. (a) 20 (b) 24 (c) 15 (d) 35 (e) 36 (f) 63

(g) 88 (h) 40 **7.** $\frac{1}{12}$ m² **8.** $\frac{9}{70}$ **9.** 25 **10.** $\frac{3}{20}$

Page 36 HWK 4E

1. (a) $1\frac{1}{24}$ (b) $1\frac{2}{7}$ (c) $2\frac{1}{10}$ (d) $\frac{2}{5}$ (e) $3\frac{3}{4}$ (f) $1\frac{5}{7}$ (g) $2\frac{2}{3}$ (h) $3\frac{3}{4}$

2. $\frac{7}{50}$ of a litre **3.** $\frac{12mn}{35}$ **4.** (a) $5\frac{5}{6}$ (b) $5\frac{31}{40}$

5. Q is greater by $\frac{1}{3}$ m² **6. 1**

Page 36 HWK 5M

1. $\frac{3}{8} \times \frac{5}{2} = \frac{15}{16}$ **2.** 54 **3.** 54

4. (a) 20 (b) 35 (c) 80 (d) 21

5. (a) $\frac{20}{27}$ (b) $\frac{24}{35}$ (c) $\frac{3}{5}$ (d) $\frac{16}{15} = 1\frac{1}{15}$

(e) $\frac{4}{35}$ (f) $\frac{20}{63}$ (g) $\frac{36}{77}$ (h) $\frac{21}{40}$

6. 27 times **7.** ? = $\frac{2}{3}$ **8.**

$\times$	$\frac{1}{4}$	$\frac{2}{5}$	$\frac{5}{6}$
$\frac{2}{3}$	$\frac{1}{6}$	$\frac{4}{15}$	$\frac{5}{9}$
$\frac{5}{7}$	$\frac{5}{28}$	$\frac{2}{7}$	$\frac{25}{42}$
$\frac{1}{8}$	$\frac{1}{32}$	$\frac{1}{20}$	$\frac{5}{48}$

9. $17\frac{1}{2}$ m **10.** $\frac{1}{5}$

Page 37 HWK 5E

1. (a) $1\frac{2}{3}$ (b) $2\frac{1}{4}$ (c) $1\frac{1}{5}$ (d) $1\frac{1}{2}$ (e) $1\frac{13}{17}$ (f) $\frac{15}{23}$

2. 10 times **3.** $2\frac{2}{3}$ cm **4.** 10 **5.** 7 **6.** $\frac{22}{27}$

2.2 Fractions, decimals, percentages

Page 38   **HWK 1M**

1. 0.19   **2.** 0.8   **3.** 0.25   **4.** 0.65   **5.** 0.75

6. 0.5   **7.** 0.64   **8.** 0.9   **9.** 0.75   **10.** 0.55

11. (a) 0.33333   (b) 0.033333   **12.** 0.0066666   **13.** 0.13   **14.** $\frac{24}{30}$

15. $\frac{14}{200}$, $\frac{18}{250}$, 0.78, 0.8   **16.** 0.24, $\frac{13}{52}$, $\frac{33}{125}$, 0.304

17. (a) 0.037   (b) 0.086   (c) 0.145   (d) 0.024   (e) 0.25

     (f) 0.468   (g) 0.03   (h) 0.75   (i) 0.0574   (j) 0.224

Page 39   **HWK 2M**

1. (a) $\frac{3}{5}$ (b) $\frac{2}{25}$ (c) $\frac{7}{25}$ (d) $\frac{9}{20}$ (e) $\frac{17}{50}$ (f) $\frac{13}{20}$ (g) $\frac{1}{4}$ (h) $\frac{7}{50}$

     (i) $\frac{1}{5}$ (j) $\frac{19}{25}$ (k) $5\frac{2}{5}$ (l) $3\frac{6}{25}$ (m) $5\frac{17}{20}$ (n) $8\frac{3}{4}$ (o) $2\frac{4}{25}$

2. $\frac{14}{25}$ **3.** $\frac{9}{25}$ **4.** $a - j, b - i, c - f, d - g, e - h$

Page 40   **HWK 3M**

1. (a) $\frac{9}{10}$ (b) $\frac{23}{50}$ (c) $\frac{13}{100}$ (d) $\frac{3}{50}$ (e) $\frac{9}{20}$

2. (a) 35%   (b) $\frac{34}{100} = 34\%$ (c) $\frac{60}{100} = 60\%$ (d) $\frac{48}{100} = 48\%$

3. Gary   **4.** 45%   **5.** $\frac{3}{10}, \frac{1}{3}, \frac{9}{25}, \frac{2}{5}, \frac{9}{20}, \frac{23}{50}, \frac{1}{2}$

6. (a) true   (b) false   (c) false   (d) true   (e) true   (f) true

Page 40   **HWK 4M**

1. (a) 0.39   (b) 0.38   (c) 0.2   (d) 0.29   (e) 1.4   (f) 3.75

2. (a) $\frac{61}{100} = 61\%$ (b) $\frac{60}{100} = 60\%$ (c) $\frac{9}{100} = 9\%$ (d) $\frac{16}{100} = 16\%$

4. Lee   **5.** $\frac{1}{6}$ **6.** true (Cooper's score is 60%)

7. $\frac{7}{50}$ **8.**

$\frac{13}{25}$	$\frac{3}{20}$	$\frac{19}{100}$	$\frac{6}{25}$	$\frac{13}{50}$	$\frac{13}{20}$	$\frac{9}{50}$	$\frac{23}{25}$
0.52	0.15	0.19	0.24	0.26	0.65	0.18	0.92
52%	15%	19%	24%	26%	65%	18%	92%

2.3 Coordinates

Page 42   HWK 1M

1. What do you call a man with a spade on his head? Doug

2. What do you call a dead parrot? Polygon

3. With what do you stuff a dead parrot? Polyfilla

Page 43   HWK 2M

1. dog   **2.** boat   **3.** (d) 27

Page 44   HWK 3M

1. (a) (9, 1)   (b) (5, 7)   (c) (4, 8)

2. (4, 5)   **4.** (c) (0, 9)   (f) 3

2.4 Straight line graphs

Page 45   HWK 1M

1. (a) C: $x = 2$, D: $x = 7$, E: $y = -2$, F: $y = 5$, G: $x = -3$ **2.** (5, 1)

3. (a) V, Q, T   (b) $x = 6$ (c) P, V, U   (d) S   (e) Q, R, U   (f) P, S

4. (a) $y = -1$ (b) Yes

Page 46   HWK 1E

1. (a) (0, 3), (1, 4), (2, 5), (3, 6), (4, 7), (5, 8) $y = x + 3$

(b) (0, 5), (1, 4), (2, 3), (3, 2), (4, 1), (5, 0) $x + y = 5$

2. $y = 2x$ **3.** $y = x - 6$ **4.** $y = \frac{1}{4}x + 2$

5. (a) $y = 3x + 1$ (b) $x + y = 8$ (c) $x = 5$ (d) $y = \frac{1}{2}x + 3$ (e) $y = 2x - 20$

Page 47   HWK 2M

1. (a) 3   (b) 5   (c) 6   **2.** (a) 18   (b) 42   (c) 72

3. (a) 2   (b) -4 (c) -25 **4.** (2, -1), (3, 0), (4, 1)

5. (0, 5), (1, 4), (2, 3), (3, 2)   **6.** (2, 3), (3, 5), (4, 7), (5, 9)

7. (0, 4), (1, 2), (2, 0), (3, -2)   **8.** (c) (1, 3)

Page 48   HWK 3M

1. 2   **2.** 4   **3.** $\frac{1}{3}$ **4.** -1 **5.** -2 **6.** $\frac{1}{2}$ **7.** 2 up   **8.** 4 down

9. The line goes down 5 for every 1 across from left to right

10. pupil choice, e.g. (3, 6)   **12.** (a) $\frac{1}{2}$ (b) -4 (c) 6   (d) 0

2.5 Area

Page 49 ***HWK 1M***

1. (a) $60 \, \text{cm}^2$ (b) $108 \, \text{cm}^2$ (c) $148 \, \text{cm}^2$ (d) $133 \, \text{cm}^2$

2. (a) $60 \, \text{cm}^2$ (b) $158 \, \text{cm}^2$

3. $32 \, \text{cm}$ **4.** $676 \, \text{cm}^2$ **5.** $44 \, \text{m}^2$ **6.** $85\frac{1}{3} \, \text{cm}^2$ **7.** £114 (22 tiles)

Page 51 ***HWK 2M***

1. $84 \, \text{cm}^2$ **2.** (a) $132 \, \text{cm}^2$ (b) $209 \, \text{cm}^2$

3. $17 \, \text{cm}$ **4.** $3 \, \text{m}$ **5.** (a) $126 \, \text{cm}^2$ (b) $220 \, \text{cm}^2$

6. $55 \, \text{cm}^2$ **7.** 9 **8.** (a) $30 \, \text{m}^2$ (b) $16 \, \text{m}^2$ (c) $14 \, \text{m}^2$

9. £55.92 (8 bags)

Page 53 ***HWK 2E***

1. (a) 9 (b) 12.5 (c) 12 **2.** (a) 11.5 (b) 13 **3.** 36

Page 53 ***HWK 3M***

1. $60 \, \text{cm}^2$ **2.** $80 \, \text{cm}^2$ **3.** $121 \, \text{cm}^2$ **4.** $12 \, \text{cm}$ **5.** £544.68

6. $96 \, \text{cm}^2$ **7.** $12 \, \text{cm}$ **8.** $99 \, \text{m}^2$ **9.** $12 \, \text{cm}$ **10.** 39

2.6 Angles

Page 55 ***HWK 1M***

1. (a) $32°$ (b) $30°$ (c) $65°$ (d) $97°$ (e) $105°$ (f) $86°$

(g) $87°$ (h) $62°$ (i) $132°$ (j) $100°$ (k) $127°$ (l) $112°$

3. (a) $56°$ (b) $42°$ (c) $26°$ (d) $50°$ (e) $108°$ (f) $74.5°$

(g) $72°$ (h) $30°$ (i) $64°$ (j) $105°$ (k) $100°$ (l) $44°$

Page 56 ***HWK 2M***

1. $a = 56°$ **2.** $b = 122°$ **3.** $c = 116°$ **4.** $d = 20°, 4d = 80°$ **5.** $e = 29°$

6. $f = 35°, f + 110° = 145°, g = 110°$ **7.** $h = 24°$ **8.** $i = 19°, 2i = 38°, i + 38° = 57°, j = 66°$

9. $59°$ **10.** $4°$ **11.** $7°$ **12.** $51°$

13. angles could be $30°, 75°, 75°$ **14.** $72°, 72°, 36°$

Page 58 ***HWK 3M***

1. $a = 115°, b = 115°, c = 65°$ **2.** $d = 64°, e = 116°, f = 116°$ **3.** $g = 53°, h = 127°, i = 75°$

4. $j = 65°, k = 85°$ **5.** $l = 83°$ **6.** $m = 54°, n = 85°$ **7.** $p = 140°$

8. $q = 52°$ **9.** $47°$ **10.** $67°$ **11.** $x = 20°$ **12.** $x = 60°, y = 120°$

1. $a = 147°$ **2.** $b = 98°$ **3.** $c = 52°$ **4.** $d = 60°, 2d = 120°, e = 45°, 3e = 135°$

5. $f = 57°$ **6.** $g = 36°, 3g = 108°, h = 76°, i = 100°$ **7.** $j = 106°$ **8.** $k = 28°$

9. $l = 116°$ **10.** $124°$ **11.** $150°$ **12.** No. $A\hat{B}C = 89°$

UNIT 3

3.1 Properties of numbers

Page 61   HWK 1M/2M

1. 7, 13, 19   **2.** 7, 11   **3.** e.g. $7 - 5 = 2, 5 - 3 = 2, 13 - 11 = 2$ **4.** 31, 37   **5.** yes

6. 2   **7.** (a) 101, 103, 107, 109   **8.** 509   **9.** $2 + 3 + 5 + 7 = 17$

10. Only 2 is prime. All other even numbers are divisible by 2 so have at least 3 factors.

Page 62   HWK 3M

1. 18, 36, 54, 72, 90   **2.** 70, 80   **3.** 1, 2, 4, 8, 16, 32, 64   **4.** 6   **5.** 25

6. (a) 93   (b) 42, 63   **7.** e.g. 20, 40, 60   **8.** e.g. 24, 48

9. (a)   (b)   (c)

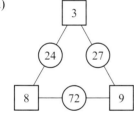   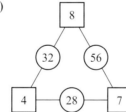   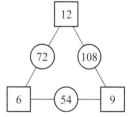

10. 24   **11.** 4   **12.** 2

Page 63   HWK 4M

1. (b) $40 = 2 \times 2 \times 2 \times 5$ **2.** (b) $48 = 2 \times 2 \times 2 \times 2 \times 3$ **3.** (a) $2 \times 2 \times 2 \times 3 \times 5$

   (b) $2 \times 2 \times 3 \times 5 \times 5$ (c) $2 \times 5 \times 5 \times 7$ (d) 5×73 (e) $5 \times 7 \times 7 \times 13$

4. e.g. 6188   **5.** 21 is not prime – use 3×7 **6.** $a = 2, b = 14, c = 140$ **7.** 2   **8.** 27 720

Page 64   HWK 5M

1. 6   **2.** (a) 1, 2, 4, 5, 10, 20   (b) 1, 2, 3, 5, 6, 10, 15, 30   (c) 10

3. (a) 12   (b) 19   (c) 5   **4.** 36

5. (a) 6, 12, 18, 24, 30, 36   (b) 8, 16, 24, 32, 40, 48   (c) 24

6. (a) 36   (b) 60   (c) 385

7. 4 and 5   **8.** 14   **9.** 12th August

10. 57   **11.** 273   **12.** 2 laps ahead

16

Page 65   HWK 5E

1. 5 and 7 both common factors.   2. 924

3. (b) 26   (c) 20 020   4. (a) H.C.F. = 3, L.C.M. = 18 018

   (b) H.C.F. = 34, L.C.M. = 3570   (c) H.C.F. = 91, L.C.M. = 42 042

5. 39, 1950 or 78, 975 or 195, 390

Page 65   HWK 6M/7M

1. 64   2. 208   3. 290   4. 48 841   5. 78   6. 256   7. true

8. (a) $100 - 49$ (b) $64 - 9$ (c) $81 - 4$ (d) $121 - 25$

9. (a) 46   (b) 28   (c) 32   (d) 83

10. Not correct. Answer $= 10^2 = 100$ 11. 36, 81, 400

12. (a) $5 \times 5 = 4 \times 4 + 9$, $6 \times 6 = 5 \times 5 + 11$, $7 \times 7 = 6 \times 6 + 13$, $8 \times 8 = 7 \times 7 + 15$,

    $9 \times 9 = 8 \times 8 + 17$, $10 \times 10 = 9 \times 9 + 19$ (b) $14 \times 14 + 29$ (c) $19 \times 19 + 39$

13. (a) 3   (b) 15   (c) 5   14. 17

15. (a) false   (b) false if use $\sqrt{16} = 4$ but true if use $\sqrt{16} = -4$ (c) true

3.2 Further arithmetic

Page 67   HWK 1M

1. (a) 1702   (b) 4761   (c) 11 900   (d) 15 996

2. (a) 26   (b) 18 r. 25   (c) 21 r. 15   (d) 16 r. 25

3. 962   4. 13   5. £1666

6. (a) 54   (b) 28   (c) 1776   (d) 63

7. 1215   8. They take the same money.   9. £3494

Page 68   HWK 2M

[1]0 • 7	[2]6	▓	[3]3 •	[4]7
6	▓	[5]7 [6]1	9	4
3	▓	[7]8 2	▓	7
▓	[8]5	▓	[9]6 • [10]3	2
[11]7 • 9	▓	[12]8	6	▓
[13]1 6 • 5	▓	[14]6	8	

15.

0.15	×	7	→	1.05
×		−		
100	×	3.8	→	380
↓		↓		
15	+	3.2	→	18.2

16.

4.7	÷	10	→	0.47
−		×		
0.84	+	0.08	→	0.92
↓		↓		
3.86	−	0.8	→	3.06

17.

9.4	×	8	→	75.2
+		−		
2.96	+	4.27	→	7.23
↓		↓		
12.36	−	3.73	→	8.63

18.

0.2	×	0.16	→	0.032
÷		÷		÷
2	+/×	2	→	4
↓		↓		↓
0.1	×	0.08	→	0.008

3.3 Averages and range

Page 69   HWK 1M

1. 42 kg   **2.** 5   **3.** (a) 5   (b) 7   (c) 5.8

4. true   **5.** 6, 10   **6.** 4

7. (a) impossible   (b) possible   (c) true   (d) impossible

8. No   **9.** (a) 10   (b) 12   **10.** B by 2.5

11. 12   **12.** Group of 7 picked 4 more strawberries.

Page 70   HWK 2M

1. (a) median = 3, range = 7   (b) median = 5, range = 12

(c) 'The median for Year 7 is <u>smaller</u> than the median for Year 10 and the range for Year 7 is <u>smaller</u> than the range for Year 10 (the results for Year 7 are <u>less</u> spread out).'

2. (a) mean = 2.5, range = 4   (b) mean = 3, range = 5

3. Either sprinter if supported by an appropriate reason (e.g. Kelly – lower mean or Anna – has run the fastest time).

Page 71   HWK 2E

1. 130 ÷ 50 = 2.6

2. (a) Hatton Albion 1.9, Carrow City 1.8   (b) Hatton Albion by 0.1

3. (a) 1   (b) mean (2.3) greater than median (2) by 0.3

4. (a) 14.2   (b) 17

3.4 Displaying and interpreting data

Page 73   HWK 1M

1. (a) 2, 3, 5, 7, 6, 4, 4, 1

18

Page 74   **HWK 2M**

1.

Stem			Leaf			
0	6	8	8			
1	2	5	6	6	9	
2	0	1	1	2	3	3
3	3	4	4	7	8	8
4	1	3	3	3	7	

Key
1 | 2 means 12

2. (a) Halford: range = 38 kg, median = 98 kg
Malby: range = 49 kg, median = 107 kg

(b) Malby have a higher median mass. The weights for Malby are more spread out (higher range).

3. (a)

Stem			Leaf					
1	0	3	7	7	9			
2	1	4	4	8				
3	2	7						
4	0	8	8					
5	2	7	7	8	8	8	9	
6	3	4	6	6	7	7	8	9	9

(b) $\frac{9}{30} = \frac{3}{10}$

Key
3 | 2 means 32

4. (a) 11.4 cm   (b) 6.3 cm   (c) Median (11.4 cm) greater than mean (10.9 cm) by 0.5 cm

Page 75   **HWK 3M**

1. (a) 6   (b) 25   (c) 10   (d) 20%

2. (a) 7, 4, 6, 4, 3   (c) $\frac{10}{24} = \frac{5}{12}$

3. (a) 20 °C   (b) 12 °C   (c) 18 °C   (d) 12:00 and 18:00

(e) 09:00   (f) 09:30 and 19:00   (g) 16:00

Page 76   **HWK 4M**

1. (a) about 40   (b) about 100   **2.** (a) Anna not correct   (b) Harry is correct

3. (a) Marie is correct   (b) more men.

Page 78 **HWK 5M**

1. (a) 15 (b) 45 (c) 135 (d) 36° (e) 30

2. Hazard 150°, Mbappé 80°, Sterling 30°, Van Dijk 100°

3. None 108°, $\frac{1}{2}$ hour 117°, 1 hour 54°, $1\frac{1}{2}$ hours 27°, 2 hours 36°, $2\frac{1}{2}$ hours 18°

4. 'Conrad' 57°, 'Harry Potter 9' 75°, 'Major Joe' 36°, 'High Terror' 132°, 'Horatio' 60°

5. (a) 'twenties' 40°, 'thirties' 100°, 'forties' 160°, 'fifties' 60° (b) 60° (c) $\frac{1}{6}$

3.5 Probability 1

Page 79 **HWK 1M/2M**

1. (A), (B), (D) are correctly placed and (F) is correctly placed assuming the scriptwriters are on Doctor Who's side!

4. No certainty, different players, etc.

Page 80 **HWK 3M**

5. Multiply pupil experimental probability by 8.

Page 81 **HWK 4M**

1. (a) $\frac{1}{7}$ (b) $\frac{4}{7}$ (c) $\frac{2}{7}$ **2.** $\frac{1}{8}$ **3.** (a) $\frac{1}{6}$ (b) $\frac{1}{6}$ (c) $\frac{1}{2}$

4. (a) $\frac{3}{20}$ (b) $\frac{1}{2}$ (c) $\frac{1}{4}$ (d) $\frac{1}{10}$ (e) $\frac{13}{20}$ (f) 0

5. (a) $\frac{12}{25}$ (b) $\frac{8}{25}$ (c) $\frac{17}{25}$ (d) 1 **6.** Bag B $\left(\frac{9}{12} > \frac{12}{18}\right)$

7. (a) $\frac{1}{8}$ (b) $\frac{1}{2}$ (c) $\frac{1}{4}$ (d) $\frac{1}{2}$ (e) $\frac{5}{8}$ (f) $\frac{1}{4}$

8. One less milk chocolate in the box.

9. (a) $\frac{1}{6}$ (b) $\frac{7}{12}$ (c) $\frac{5}{12}$ **10.** 16

Page 82 **HWK 5M**

1. (a) (H1), (H2), (H3), (H4), (H5), (H6), (T1), (T2), (T3), (T4), (T5), (T6) (b) $\frac{1}{4}$

2. GGG, BGG, GBG, GGB, BBG, BGB, GBB, BBB (a) $\frac{1}{8}$ (b) $\frac{3}{8}$

3. (a) (1, 1), (1, 2), (1, 3), (1, 4), (1, 5), (1, 6), (2, 1), (2, 2), (2, 3), (2, 4), (2, 5), (2, 6), (3, 1), (3, 2), (3, 3), (3, 4), (3, 5), (3, 6)

(b) $\frac{1}{3}$

4. (a)

(1, 1)	(2, 1)	(3, 1)	(4, 1)	(5, 1)	(6, 1)
(1, 2)	(2, 2)	(3, 2)	(4, 2)	(5, 2)	(6, 2)
(1, 3)	(2, 3)	(3, 3)	(4, 3)	(5, 3)	(6, 3)
(1, 4)	(2, 4)	(3, 4)	(4, 4)	(5, 4)	(6, 4)
(1, 5)	(2, 5)	(3, 5)	(4, 5)	(5, 5)	(6, 5)
(1, 6)	(2, 6)	(3, 6)	(4, 6)	(5, 6)	(6, 6)

  (b) $\dfrac{1}{6}$

5. GGGG, GBGG, GGBG, GGGB, GBBG, GBGB, GGBB, GBBB, BBBB, BGGG, BBGG, BGBG, BGGB, BBBG, BBGB, BGBB

  (a) $\dfrac{1}{16}$ (b) $\dfrac{1}{4}$ (c) $\dfrac{3}{8}$

UNIT 4

4.1 Percentages

Page 84   ***HWK 1M***

1. (a) 0.49   (b) 0.4   (c) 0.08   (d) 0.13   (e) 0.85   **2.** 45%

3. (a) 24%   (b) 60%   (c) 59%   (d) 64%   (e) 6%   **4.** 25%

5. 9%   **6.** $\dfrac{13}{20}$ **7.** (a) $\dfrac{1}{4}, \dfrac{3}{10}, 0.4$ (b) $38\%, 0.39, \dfrac{2}{5}$ (c) $69\%, 0.7, \dfrac{18}{25}$

8. $\dfrac{4}{25} = 0.16, 95\% = \dfrac{19}{20}, 0.75 = \dfrac{3}{4}, 20\% = \dfrac{1}{5}, 0.3 = 30\%$

9. (a) $\dfrac{37}{100}$ (b) $\dfrac{13}{20}$ (c) $\dfrac{7}{50}$ (d) $\dfrac{8}{25}$ (e) $\dfrac{11}{50}$

10. (a) false   (b) true   (c) false   (d) true   (e) true   (f) true

Page 85   ***HWK 2M***

1. 60%   **2.** 30%   **3.** $\dfrac{1}{3}$ **4.** 15%   **5.** yes

6. 62%   **7.** 35%   **8.** $\dfrac{12}{16}$ **9.** 44   **10.** 15%

Page 86   ***HWK 3M***

1. 18%   **2.** 91%   **3.** 44%

4. (a) 9%   (b) 18%   (c) 13%   (d) 50%

5. 42%   **6.** (a) 22%   (b) 7%   (c) English

7. (a)

123	32	155
146	79	225
269	111	380

  (b) 38%   (c) 41%   (d) 20%

Page 87 **HWK 4M**

1. 108

2. b (£60), c (£64), a (£70)

3. 84 mm

4. 66.5 kg

5. shirt, trousers

6. Diane by £12

7. £1704

8. £4320

9. £588

Page 88 **HWK 5M**

1. (a) 4.7

(b) 112.8

2. £0.70 or 70 pence

3. (a) £7208

(b) £515.20

(c) £627.80

(d) £443.30

4. 100.8 cm

5. (a) A

(b) B

(c) £2.38

6. (a) £2.02

(b) £420.82

(c) £174.28

(d) £56.12

7. 1.59 m

8. £76.72 (accept £76.71)

9. 37 ml

10. First week (£6355) greater by £265.80 than the second week (£6089.20)

4.2 Proportion and ratio

Page 89 **HWK 1M/1E**

1. £11.70 **2.** £4.16 **3.** $\frac{4}{15}$ **4.** 4 toilet rolls for £1.68 **5.** $\frac{3}{8}$ **6.** 30 minutes

7. £1.65 **8.** 324 **9.** (a) $\frac{5}{12}$ (b) $\frac{1}{4}$ **10.** 3150 **11.** $13\frac{1}{3}$

12. 750 g box is better value **13.** $\frac{8}{5}n$ **14.** $\frac{xw}{y}$ **15.** 21 cakes **16.** $153

17. 1 litre carton is better value

Page 91 **HWK 2M**

1. 13 : 6

2. 6 : 4 = 3 : 2

3. 9 black squares

4. (a) 1 : 8

(b) 1 : 3

(c) 4 : 3

(d) 3 : 2

(e) 17 : 7

(f) 4 : 7

(g) 2 : 4 : 5

(h) 3 : 2 : 7

(i) 3 : 5 : 7

5. 11 : 7

6. (a) 3

(b) 2

(c) 8

(d) 9

(e) 3

(f) 4

7. 8 : 12 = 2 : 3

8. 8 : 4 = 2 : 1

9. (a) 6 : 1

(b) 30 : 1

(c) 4 : 1

(d) 2 : 3

10. n = 70 cm

Page 92 **HWK 3M**

1. (a) £40 : £20

(b) £42 : £18

(c) £24 : £36

2. £105 : £30

3. 20

4. 35

5. 84

6. £30

7. blue 18, red 3, yellow 15

8. $\frac{2}{7}$

9. Dan 175, Josh 225, Elaine 375

10. £80

11. 36

12. £480

4.3 Constructing triangles

Page 93   HWK 1M

  4. about 11 cm   **5.** (a) 6.2 cm   (b) 4 cm   (c) 8.4 cm   **6.** 115°

  7. Jason (travels 3.71 km compared with 4.05 km)   **8.** AB = 3.5 cm, AD = 5.9 cm

Page 94   HWK 2M

  1. (a) 52°   (b) 85°   (c) 32°   **2.** 63°   **3.** (a) 66°   (b) 170°   **4.** 85°

4.4 Two-dimensional shapes

Page 95   HWK 1M

  1. D   **2.** scalene   **3.** A   **4.**

  5. C, F   **7.** square, rectangle   **8.**   **9.** 4

  10. square, kite, rhombus

Page 96   HWK 2M

  1. 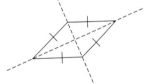   **2.** 2   **3.** kite, trapezium (isosceles only)   **4.** 1

  5. 0   **6.** 4   **7.** 8   **8.**

  9.   **10.** kite

4.5 Translation

Page 97   HWK 1M

  1. (a) T   (b) T   (c) Q   (d) U   (e) P

  2. (a) $\begin{pmatrix} 2 \\ -4 \end{pmatrix}$ (b) $\begin{pmatrix} 0 \\ -3 \end{pmatrix}$ (c) $\begin{pmatrix} -2 \\ -2 \end{pmatrix}$ (d) $\begin{pmatrix} -4 \\ 5 \end{pmatrix}$ (e) $\begin{pmatrix} -1 \\ 4 \end{pmatrix}$ (f) $\begin{pmatrix} 1 \\ 2 \end{pmatrix}$ (g) $\begin{pmatrix} 0 \\ 2 \end{pmatrix}$ (h) $\begin{pmatrix} 3 \\ -5 \end{pmatrix}$

3. $\begin{pmatrix} 1 \\ -4 \end{pmatrix}$

4.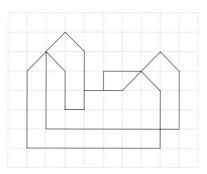

5. $\begin{pmatrix} 9 \\ 2 \end{pmatrix}$

4.6 Reflection

Page 98   **HWK 1M**

1. (a) yes, 2   (b) yes, 2   (c) yes, 2   (d) none   (e) yes, 8   (f) none   (g) yes, 5   (h) yes, 2

2. (a) 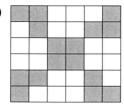   (b) 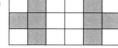   (c)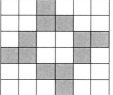

Page 99   **HWK 2M**

1. (a) S   (b) S   **2.** 8   **4.** (a) yes, 2   (b) yes, order 2

5. (a) $x = 6$ (b) $x = 4$ (c) $x = 4, y = 6.5$ (d) $x = 2, y = 2, y = x, x + y = 4$

(b) $x = 11$ (e) $y = x + 2, x + y = 6$

6.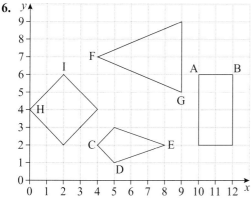

24

1.

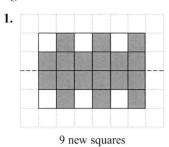

9 new squares

2.

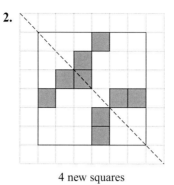

4 new squares

3.

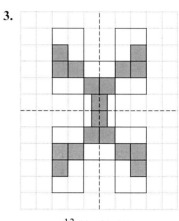

13 new squares

4.

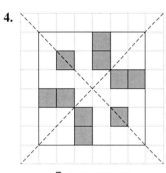

7 new squares

5.

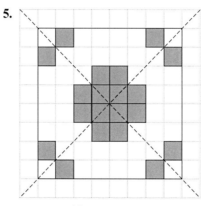

17 new squares

6.

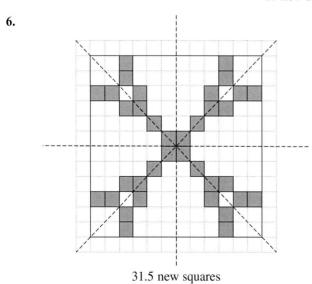

31.5 new squares

25

1.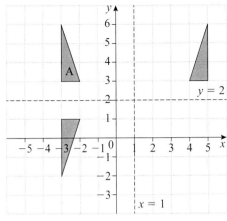

2.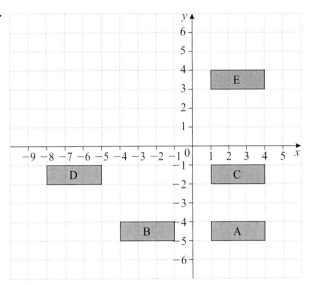

3. (a) $y = -1$　(b) $x = 1\frac{1}{2}$　(c) $x = -2$　(d) $y = 0 \,(x\,\text{axis})$　(e) $x = -2\frac{1}{2}$

4.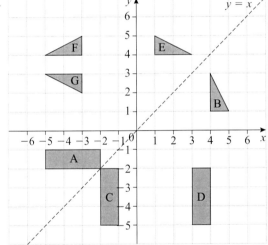

4.7 Rotation

Page 104   **HWK 1M**

1.

2.

3.

4.

5.

6.

7. 90° anticlockwise

8. 180° clockwise

9. 90° clockwise

10. 90° clockwise

11. 90° anticlockwise

12. 90° clockwise

26

1.

2.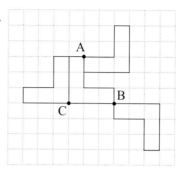

3.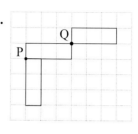

4. (a) P　　　　　(b) Q　　　　　(c) M　　　　　(d) P

5.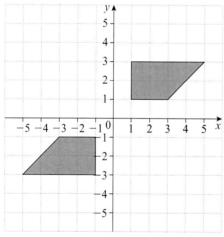

1.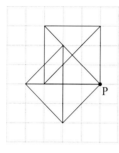

2.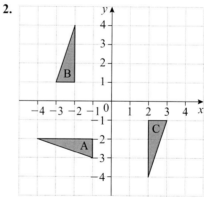

　(e) 90° clockwise about (0, 0)

3. 60° clockwise about (1, 2)

4. (a) 90° anticlockwise about $(-2, -1)$　　　(b) 90° clockwise about (0, 0)

　(c) 90° clockwise about (0, 1)　　　　　　　(d) 90° anticlockwise about (2, 2)

5.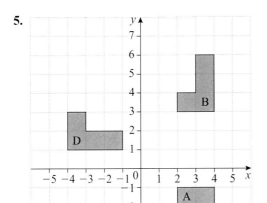

6. 70° clockwise about $(-2, 4)$
   or 290° anticlockwise about $(-2, 4)$

UNIT 5

5.1 More algebra

Page 108   HWK 1M

1. (a) $2x$ (b) $2y$ (c) $3y + 2$ (d) $4x + 2$ (e) $12p + q$ (f) $8w + 6 + 3m$

2. $v = 46$ **3.** $5n$ **4.** $36 - x + y$ **5.** $a = 65$ **6.** $m = 78$

7. (a) 1 (b) $9y$ (c) 8 (d) $5x + 4$ **8.** $2(m - 9)$

9. (a) $12mn$ (b) $2mn$ (c) $4mn + 3m$ (d) $18mn$ **10.** $w = 2$

11. Not correct. $\frac{2x}{x} = 2$ **12.** £$(4m + n - 5)$

13. (a) $10m + 15$ (b) $pq - 2pr$ (c) $m^2 + 7m$ **14.** $22n$

Page 109   HWK 1E

1. (a) $18pqr$ (b) $6xy + 2x$ (c) $9mn + 6m + 3$ (d) $192xyz$ (e) $pq + 7$ (f) $8a + 4ab$

2. $33abc$ **3.** $y = 32$ **4.** $m = 9$ **5.** $a = -36$ **6.** $y = -16$

7. $p = -31$ **8.** $c = -36$ **9.** $m = -6$ **10.** $a = 16$ **11.** $y = -66$

12. $m = -11$ **13.** $p = 54$ **14.** $a = -57$ **15.** $6m^2 + 5m$ **16.** 37

Page 110   HWK 2M

1. 6   **2.** 14   **3.** 13   **4.** 9   **5.** 8   **6.** 7

7. 3   **8.** 3   **9.** 6   **10.** 5   **11.** 7   **12.** 4

28

Page 110 **HWK 3M**

1. 11	**2.** 22	**3.** 4	**4.** 22	**5.** 6	**6.** 8
7. 0	**8.** 36	**9.** 42	**10.** 40	**11.** 48	**12.** 36
13. 7	**14.** 12	**15.** 48	**16.** 26	**17.** 12	**18.** 3
19. 49	**20.** 45	**21.** $\frac{1}{6}$	**22.** 220	**23.** 431	**24.** 750

Page 111 **HWK 3E**

1. 45	**2.** $\frac{1}{8}$	**3.** 7	**4.** 10	**5.** 621	**6.** $\frac{5}{8}$
7. 0	**8.** 126	**9.** 0	**10.** 546	**11.** 4.43	**12.** $\frac{1}{12}$
13. 7.16	**14.** 40	**15.** 11.3	**16.** $1\frac{1}{12}$	**17.** 12.8	**18.** 0.15
19. $\frac{4}{5}$	**20.** 0.02	**21.** 8.22			

Page 111 **HWK 4M**

1. 3	**2.** 7	**3.** 1	**4.** 9	**5.** 4	**6.** 20
7. $\frac{3}{5}$	**8.** 2	**9.** $\frac{4}{7}$	**10.** 15	**11.** $\frac{1}{3}$	**12.** 25
13. $\frac{5}{7}$	**14.** 8	**15.** 7	**16.** $\frac{1}{3}$	**17.** 0	**18.** 100
19. $2\frac{2}{5}$	**20.** 30	**21.** 2	**22.** $\frac{4}{9}$	**23.** $1\frac{2}{3}$	**24.** 9

Page 112 **HWK 5M**

1. 7	**2.** 8	**3.** 3	**4.** 10	**5.** $\frac{5}{6}$	**6.** $\frac{17}{30}$
7. 17	**8.** 0	**9.** 7	**10.** $\frac{3}{14}$	**11.** 18	**12.** $1\frac{5}{6}$
13. 6	**14.** $5\frac{1}{2}$	**15.** 120	**16.** 250	**17.** $2\frac{2}{3}$	**18.** $6\frac{1}{10}$
19. 35	**20.** 8	**21.** 130	**22.** $\frac{3}{16}$	**23.** 195	**24.** $\frac{1}{2}$

Page 112 **HWK 6M**

1. 3	**2.** 5	**3.** 7	**4.** 4	**5.** 10	**6.** 6
7. 3	**8.** 20	**9.** 5	**10.** 9	**11.** 2	**12.** 8
13. pupil equation with answer 6	**14.** $\frac{5}{6}$	**15.** $\frac{5}{14}$	**16.** 4	**17.** $\frac{17}{20}$
18. $\frac{7}{30}$	**19.** $\frac{11}{21}$	**20.** $5\frac{1}{2}$	**21.** $\frac{7}{18}$	**22.** $\frac{19}{30}$	

Page 113   **HWK 7M**

1. 6   **2.** 6   **3.** 8   **4.** 9   **5.** 12   **6.** $\frac{3}{10}$

7. $\frac{7}{8}$ **8.** $\frac{19}{20}$ **9.** 13   **10.** $2\frac{4}{15}$ **11.** 48   **12.** 36

Page 113   **HWK 7E**

1. (a) $4x$ (b) $4x - 3 = 29$ (c) £8

2. 9 cm   **3.** 7   **4.** 6 cm   **5.** 11   **6.** 20°

7. 5 cm   **8.** 7 cm   **9.** 17, 18, 19, 20, 21   **10.** 12 cm

5.2 Interpreting graphs

Page 115   **HWK 1M**

1. (a) (i) 30   (ii) 30   (iii) 5   (b) 09:00   (c) 10:00 and 18:00   (d) 30 minutes

2. (a) (i) 4 inches   (ii) 8 inches   (iii) 2 inches   (b) 7 inches

3. (a) 2.7 litres   (b) 1.4 gallons

4. (a) 10 cm   (b) 35 cm   (c) after 3 minutes   (d) 1 minute 15 secs

(e) let some water out by removing the plug   (f) 45 seconds

5. (b) $3\frac{1}{2}$ minutes   (c) 67.5 Kcal

Page 117   **HWK 2M**

1. (a) 40 miles   (b) 45 minutes   (c) 25 miles   (d) 50 mph   (e) 45 minutes

2. (a) 30 minutes   (b) 3:45 pm   (c) 3   (d) 15 km/h

3. Distance from Roger's home (miles)   (b) 11.45   (c) 12 mph

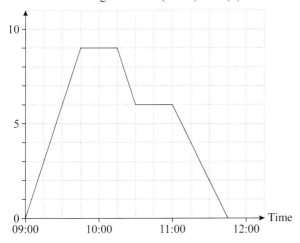

4. Distance from home (miles)   (b) 10:45   (c) 12:00

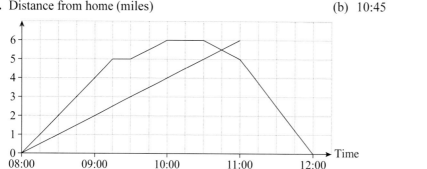

5.3 Number review

Page 118   ***HWK 1M***

1. 1, 2, 3 ,5, 6 , 10 , 15 , 30   **2.** (a) 30   (b) 16   **3.** 11, 13, 17, 19

4. (a) 1, 2, 4, 5, 8, 10, 20, 40   (b) 1, 2, 5, 10, 25, 50   (c) 10   **5.** 53

6. e.g. 28, 56, 84   **7.** 24   **8.** (a) 5   (b) 4   (c) 18

9. 4 has three factors, the others have two factors only.

10. $2 \times 2 \times 5 \times 7$ **11.** $2 \times 3 \times 7 \times 13$ **12.** H.C.F. = 14, L.C.M. = 5460

Page 119   ***HWK 2M***

1. (a) 7%   (b) 32%   (c) 60%   (d) 16%   (e) 95%

2. (a) $\frac{3}{5}$ (b) $\frac{19}{100}$ (c) $\frac{7}{20}$ (d) $\frac{8}{25}$ (e) $\frac{1}{50}$ **3.** 0.303

4. (a) $\frac{2}{5}$ (b) $\frac{7}{10}$ (c) $\frac{1}{4}$ (d) $\frac{5}{6}$ (e) $\frac{3}{8}$ (f) $\frac{2}{5}$

5. (a) $\frac{3}{8}$ (b) $\frac{5}{6}$ (c) $\frac{3}{10}$ (d) $\frac{1}{2}$ (e) $\frac{3}{8}$ (f) $\frac{5}{12}$

(g) $\frac{17}{24}$ (h) $\frac{17}{20}$ **6.** (a) $\frac{2}{5}$, 0.42, 45%   (b) $\frac{1}{20}$, 10%, 0.2   (c) 0.68, $\frac{7}{10}$, 73%

7. yes by 3%   **8.** A $\frac{9}{20}$, B $\frac{13}{25}$, C $\frac{33}{50}$, D $\frac{19}{25}$

9. Turn the second fraction upside down and multiply.

10. $\frac{1}{8}$ **11.** Not correct. $\frac{7}{2} \times \frac{7}{2} = \frac{49}{4} = 12\frac{1}{4}$

12. (a) $1\frac{13}{20}$ (b) $2\frac{5}{11}$ (c) $7\frac{1}{9}$ (d) $7\frac{1}{24}$

Page 120   ***HWK 3M***

1. 336   **2.** 24   **3.** 33   **4.** 3159   **5.** 5   **6.** £19

7. (a) 468   (b) 27   (c) 32   **8.** 55   **9.** $752 \div 47$ by 3   **10.** 126

Page 120 **HWK 4M**

1. (a) 18.8 (b) 14.6 (c) 2.83 (d) 27.6 (e) 36.72 (f) 1.56
   (g) 7.77 (h) 3.72 (i) 4.3 (j) 8.6 (k) 4.3 (l) 18.96
2. 0.37 kg 3. (a) $3.65 + 3.73 = 7.38$ (b) $2.96 + 5.38 = 8.34$ (c) $8.07 - 2.64 = 5.43$
4. £5.60 5. 60.2 g 6. 5, 19.11, 95.55, 7, 13.65
7. (a) 46.2 (b) 0.024 (c) 0.023 (d) 0.0042 (e) 0.48 (f) 0.592
8. £1.87
9. Divide numerator and denominator by 10 to show that $\frac{300}{5}$ is the same as $\frac{30}{0.5}$
10. (a) true (b) false (c) true

Page 121 **HWK 5M**

1. (a) £24 (b) 12 kg (c) 12 cm (d) 21 m (e) 21 g (f) 72 km
   (g) £267 (h) 49 cm 2. $\frac{1}{3}$ of £21 3. (a) 20% (b) 18 (c) 120
4. (a) £37.80 (b) 408 g (c) £94.80 5. 6640 6. (a) 6% (b) $66\frac{2}{3}$%
   (c) 75% (d) 55% 7. $\frac{1}{3}$ of £1773 8. £1098 9. £18.27
10. 'Increase £326 by 17.5%', £15.25

Page 122 **HWK 6M**

1. £12.55 2. £960
3. (a) $7:9$ (b) $4:5:7$ (c) $3:5$ (d) $8:120:85$ (e) $25:1$ (f) $12:1$
4. 40 cm 5. $5:8$ 6. £4500
7. 250 g plain flour, 5 large eggs and 750 ml milk are needed, so Barnaby does have enough ingredients.
8. 270 g is best value.

5.4 Rounding numbers

Page 123 **HWK 1M**

1. (a) 3.8 (b) 7.9 (c) 23.5 (d) 3.7 (e) 8.6 (f) 8.0
   (g) 38.7 (h) 24.3 (i) 4.3 (j) 2.6
2. (a) 5.68 (b) 24.72 (c) 0.49 (d) 0.09 (e) 104.87 (f) 9.06
   (g) 13.06 (h) 427.61
3. 34.428, 34.35, 34.38, 34.439 4. (a) 5.3 cm by 2.7 cm (b) 14.3 cm²

5. (a) 23.4   (b) 1.3   (c) 1.1   (d) 7.8   (e) 4.3   (f) 1.9

    (g) 3.4   (h) 399.2

6. (a) 2.71   (b) 40.26   (c) 6.48   (d) 4.64

7. It should be 15.70 to two decimal places.

8. pupil choice between 28.345 and 28.34$\dot{9}$

Page 124   *HWK 2M*

1. 6   **2.** No

3. (a) 52   (b) 0.65   (c) 2300   (d) 0.071   (e) 0.020   (f) 59 000

    (g) 2.1   (h) 3 200 000

4. (a) 4.57   (b) 17.5   (c) 0.895   **5.** 9.6508   **6.** pupil choice   **7.** 43 cm^2

8. (a) 73.9   (b) 1.1   (c) 1570   (d) 82 000   (e) 0.006   (f) 318.60

9. 8 700 000   **10.** 1150

Page 126   *HWK 3M*

1. A   **2.** C   **3.** C   **4.** A   **5.** B   **6.** A

7. A   **8.** B   **9.** C   **10.** C   **11.** B   **12.** C

13. B   **14.** A   **15.** A

Page 126   *HWK 4M*

1. £180   **2.** 18 cm^2 **3.** £9600   **4.** (a) £45   (b) £45.75   **5.** £16.50

6. 12.1 × 19.78   **7.** 40 cm   **8.** about £8400   **9.** about £160

10. (a) 51.6   (b) 8.96   (c) 23.6164   (d) 584.64   (e) 15.58   (f) 30.1

5.5 Probability 2

Page 127   *HWK 1M*

1. (a) $\frac{3}{5}$ (b) $\frac{2}{5}$ **2.** $\frac{3}{12} = \frac{1}{4}$ **3.** (a) $\frac{3}{7}$ (b) $\frac{4}{7}$ (c) $\frac{1}{7}$

4. (a) $\frac{7}{18}$ (b) $\frac{3}{18} = \frac{1}{6}$ (c) 0   (d) $\frac{15}{18} = \frac{5}{6}$ (e) 1

5. (a) $\frac{2}{7}$ (b) $\frac{1}{7}$ (c) $\frac{2}{7}$ **6.** odd number

7. (a) $\frac{2}{10} = \frac{1}{5}$ (b) $\frac{3}{10}$ (c) $\frac{3}{10}$ (d) $\frac{6}{10} = \frac{3}{5}$ (e) $\frac{3}{11}$ **8.** 14, 15 or 16

Page 129   **HWK 2M**

1. $\dfrac{5}{6}$

2. (a) $\dfrac{7}{10}$ (b) pink

3. (a) $\dfrac{1}{52}$ (b) $\dfrac{4}{52} = \dfrac{1}{13}$ (c) $\dfrac{26}{52} = \dfrac{1}{2}$ (d) $\dfrac{13}{52} = \dfrac{1}{4}$

4. (a) $\dfrac{4}{11}$ (b) $\dfrac{2}{11}$ (c) $\dfrac{5}{11}$ (d) $\dfrac{2}{11}$

5. (a) $\dfrac{1}{26}$ (b) $\dfrac{5}{26}$ (c) $\dfrac{5}{26}$ (d) $\dfrac{6}{26} = \dfrac{3}{13}$

6. (a) $\dfrac{4}{16} = \dfrac{1}{4}$ (b) $\dfrac{2}{16} = \dfrac{1}{8}$ (c) $\dfrac{1}{16}$ 7. Correct $\left(\dfrac{5}{8} = \dfrac{25}{40} > \dfrac{24}{40} = \dfrac{6}{10}\right)$

Page 130   **HWK 3M**

1. $\dfrac{1}{4}$

2. (a) $\dfrac{1}{6}$ (b) $\dfrac{4}{6} = \dfrac{2}{3}$ (c) $\dfrac{2}{6} = \dfrac{1}{3}$ 3. 4

4. (a) (H, H, H), (H, H, T), (H, T, H), (T, H, H), (H, T, T), (T, H, T), (T, T, H), (T, T, T)   (b) $\dfrac{1}{8}$ (c) $\dfrac{1}{8}$

5. $\dfrac{1}{12}$ 6. (a) $\dfrac{n}{m + n + p}$ (b) $\dfrac{n + p}{m + n + p}$ 7. (a) $\dfrac{14}{18} = \dfrac{7}{9}$ (b) $\dfrac{5}{21}$

8. $\dfrac{1}{4}$ 9. $\dfrac{x + 1}{x + y - 1}$ 10. $\dfrac{1}{9}$

UNIT 6

6.1 Metric and imperial units

Page 132   **HWK 1M**

1. (a) 350 cm   (b) 6 cm   (c) 2600 m   (d) 0.2 kg   (e) 7500 ml   (f) 0.3 m
   (g) 9400 kg   (h) 46 mm   (i) 8.5 kg   (j) 8.7 litres   (k) 400 g   (l) 0.35 km
   (m) 2900 mm   (n) 6090 g   (o) 5800 mg   (p) 0.45 m

2. 1143 ml   3. 800 m   4. 11   5. 1648 mm

6. 2 cakes   7. 32 g, 0.04 kg, 0.4 kg, 410 g, 0.815 kg, 1350 g   8. Yes. Below by 115 kg

Page 133   **HWK 2M**

1. 27 feet   2. 96 ounces   3. 6 feet   4. 880 yards   5. 28 pints

6. 30 inches   7. 133 pounds   8. 63 inches   9. 4704 pounds   10. $7\frac{1}{2}$ gallons

11. 116 ounces   12. 125 pounds   13. 22 pints   14. 105 inches   15. 8 stones 7 pounds

16. 11 feet   17. 4480 yards   18. Rob by 1 pound   19. $3\frac{1}{2}$ stones greater by 14 ounces

20. $11\frac{1}{2}$ gallons

Page 134   **HWK 2E**

1. (a) 22 pounds (b) 20 gallons (c) 48 km (d) 3 kg (e) 27 litres
   (f) 240 cm (g) 20 kg (h) 20 miles (i) 13.2 pounds

2. 100 miles 3. Tania by 2 cm 4. bag by 0.1 pound 5. 1.5 litres

6. 12 cm, 8 inches, 1 foot, 40 cm, 0.43 m 7. 500 g 8. £200 roughly

9. £6.39 10. No. The cooker is 3 cm too wide.

Page 135   **HWK 3M**

1. 246 mm 2. 1243 cm 3. 95 4. 0.115 mm

5. (a) 100 700 cm^2 (b) 1600 cm^2 (c) 8700 cm^2

6. 124 kg 7. 66 litres 8. 25 minutes

6.2 Angles and constructions

Page 136   **HWK 1M**

1. $a = 72°$ 2. $b = 29°$ 3. $c = 60°$ 4. $d = 38°, e = 71°$ 5. $e = 70°$ 6. $f = 130°$

7. $g = 65°$ 8. $h = 56°$

10. (a) acute (b) acute (c) obtuse (d) obtuse (e) acute (f) reflex

11. 58° 12. 16°

13. The triangle is isosceles because its angles are 75°, 75° and 30°.

14. $A\hat{D}B = 69°, A\hat{B}D = 42°, B\hat{A}D = 69°$, so triangle ABD is isosceles.

Page 137   **HWK 2M**

1. $a = 95°, b = 63°$ 2. $c = 93°$ 3. $d = 53°$ 4. $e = 142°$ 5. $f = 52°$

6. $g = 36°, h = 69°$ 7. $i = 118°$ 8. $C\hat{D}E = 108°$ 9. $x = 12°, Q\hat{S}T = 60°$

10. $E\hat{D}F = 126°$ (isosceles triangle) so $A\hat{D}F = 54°$ (angles on a straight line add up to 180°).
    Lines BC and AD are parallel because $A\hat{D}F = B\hat{C}D$ (corresponding angles are equal).

Page 139   **HWK 3M**

2. (d) MY = 4.7 cm 3. (c) DP = 4.6 cm

Page 139   **HWK 4M**

4. (c) PY = 4.4 cm 5. (d) AX = 3.5 cm

6.3 Circles

Page 140   HWK 1M

1. (a) 5 cm   (b) 10 cm   (c) 31.4 cm   2. 55.0 mm   3. 2827 m

4. Circle B by 2.8 cm   5. 28.6 cm   6. 14.1 cm   7. 2576 cm   8. 61.7 cm

Page 141   HWK 2M

1. 3217.0 cm²   2. 38.5 m²   3. Circle A by 30.4 cm²

4. (a) 265.5 m²   (b) 190.1 cm²   (c) 12.6 m²   (d) 176.7 cm²   (e) 4.9 m²   (f) 141.8 mm²

(g) 64.3 m²   (h) 52.4 cm²

5. 2667.1 cm²   6. 154.1 cm²

6.4 Three-dimensional objects

Page 142   HWK 1M

1. (a) cone   (b) cuboid   (c) square based pyramid   (d) hemisphere

2. 5 faces, 5 vertices, 8 edges   3. 6 vertices   4. 6 faces   5. cylinder

6. (a)   (b) 8 faces, 12 vertices, 18 edges   7. 6 faces, 8 vertices, 12 edges

8. e.g. a pentagonal prism

Page 143   HWK 2M

2. square based pyramid   5. face 4   7. 6 cm   8. $ab + ad + bd + cd$

6.5 More equations

Page 145   HWK 1M

1. (a) $y = 12$ (b) $x = 21$ (c) $n = 32$ (d) $m = 75$ (e) $p = \frac{1}{8}$ (f) $a = 63$

2. (a) $p = 3$ (b) $y = 10$ (c) $x = 4$ (d) $m = \frac{1}{3}$ (e) $n = \frac{5}{6}$ (f) $w = 9$

3. 11

4. (a) $n = \frac{6}{7}$ (b) $x = \frac{1}{4}$ (c) $p = \frac{4}{5}$ (d) $y = \frac{5}{8}$ (e) $w = \frac{1}{7}$ (f) $m = \frac{13}{15}$

5. 27p   6. (a) $m = 78$ (b) $p = \frac{1}{4}$ (c) $n = \frac{1}{24}$

7. $n = 11$, so sides are 22 cm, 34 cm and 50 cm.

8. Parker should have subtracted 6 from both sides of the equation not added 6.

Page 146   **HWK 2M**

1. (a) $n = 3$ (b) $w = 7$ (c) $y = 6$ (d) $x = 9$ (e) $m = 5$ (f) $p = 12$

2. $\dfrac{3}{8}$

3. (a) $w = \dfrac{3}{5}$ (b) $x = \dfrac{2}{3}$ (c) $y = \dfrac{4}{3} = 1\dfrac{1}{3}$ (d) $m = \dfrac{6}{7}$ (e) $p = \dfrac{3}{2} = 1\dfrac{1}{2}$ (f) $n = \dfrac{1}{3}$

4. $x = 16°$, angles are $51°, 141°, 116°, 52°$

5. (a) $w = \dfrac{5}{9}$ (b) $n = 7$ (c) $y = \dfrac{14}{5} = 2\dfrac{4}{5}$ (d) $p = \dfrac{1}{2}$ (e) $m = 3$ (f) $x = \dfrac{1}{5}$

6. (a) $6(3x + 4) = 96, x = 4$ (b) $44\,\text{cm}$

Page 146   **HWK 3M**

1. (a) 6   (b) 3   (c) 14   (d) 7   (e) 6   (f) 11   (g) 9   (h) 2   (i) 6

2. (a) $10n + 4 = 5n + 24$ (b) $n = 4$ (c) 101   3. (a) 13   (b) 14   (c) 17

4. $x + 27 = 2x - 32$, so $x = 59$ 5. $5n - 15 = 3n + 29$, so $n = 22$

6. (a) 2   (b) $\dfrac{7}{4} = 1\dfrac{3}{4}$ (c) 2   (d) $\dfrac{1}{3}$ (e) $\dfrac{9}{4} = 2\dfrac{1}{4}$ (f) $\dfrac{19}{4} = 4\dfrac{3}{4}$

7. $5(x + 8) = 5x + 40$ not $5x + 8$

6.6 Sequences

Page 147   **HWK 1M**

1. £18 300

2. (a) 8, 14, 20, 26, 32   (b) 3, 12, 48, 192, 768   (c) 80, 40, 20, 10, 5
   (d) 33, 29, 25, 21, 17   (e) 3.7, 4, 4.3, 4.6, 4.9

3. 28   4. (a) 33   (b) 8   (c) 4, 7, 13, 25

5. (a) 21   (b) 8   (c) 63

6. (a) 43, 38, 33, 28, 23   (b) 2, 6, 18, 54, 162   (c) 112, 56, 28, 14, 7

7. November

8. (a) 64, 32, $\boxed{16}$, 8, 4   (b) $\boxed{3}$, 8, $\boxed{13}$, 18, 23   (c) 31, 25, $\boxed{19}$, 13, $\boxed{7}$ (d) 1.5, $\boxed{1.75}$, 2, 2.25, $\boxed{2.5}$

Page 148   **HWK 2M**

1. pupil choice

2. (a) subtract 12   (b) divide by 3   (c) subtract 1   (d) double
   (e) multiply difference by 5 each time   (f) add two previous terms

3. (a) 30   (b) 110   4. i, k   5. k, p   6. t, w

7. (a) 3, 7, 15, 31, 63   (b) 2, 3, 7, 23, 87

8. $5 \times 99 = 495, 6 \times 99 = 594, 7 \times 99 = 693$ 9. (a) 47   (b) 22   (c) 27   (d) -10